gros morne

highlands
and lowlands

hautes terres
et basses terres

dale
wilson

gros morne
co-operating association

for aaron and alex à aaron et alex

Published by Gros Morne
Co-operating Association
P.O. Box 130, Rocky Harbour,
Newfoundland and Labrador
Canada A0K 4N0

Cover and Inside Design by
Trivium Design Inc.,
Halifax, Nova Scotia

Translation by Jacques Thibault,
Ste. Catherine, Québec

Printed in Canada by Friesens,
Altona, Manitoba

Publié par Gros Morne
Co-operating Association
C.P. 130, Rocky Harbour,
Terre-Neuve et Labrador
Canada A0K 4N0

Couverture et design intérieur par
Trivium Design Inc.,
Halifax, Nouvelle-Écosse.

Adaptation française par Jacques
Thibault, Ste. Catherine, Québec

Imprimé au Canada par Friesens,
Altona, Manitoba.

Library and Archives Canada Cataloguing in Publication
Wilson, Dale, 1958-
Gros Morne: Highlands and Lowlands = Gros Morne : hautes terres et basses terres / Dale Wilson.
Text in English and French
ISBN 0-9699509-2-6

1. Gros Morne National Park (N.L.). 2. Natural history—Newfoundland and Labrador—Gros Morne National Park. 3. Gros Morne National Park (N.L.)—Pictorial works. 4. Natural history—Newfoundland and Labrador—Gros Morne National Park—Pictorial works. I. Gros Morne Co-operating Association. II. Title. III. Title: Gros Morne : hautes terres et basses terres.
FC2164.G76W54 2004 917.18 C2004-903250-XE
Printed in Canada

Catalogage avant publication de Bibliothèque et Archives Canada
Wilson, Dale, 1958-
Gros Morne : Highlands and Lowlands = Gros Morne : hautes terres et basses terres / Dale Wilson.
Texte en anglais et en français.
ISBN 0-9699509-2-6

1. Parc national du Gros-Morne (T.-N.-L.). 2. Sciences naturelles—Terre-Neuve-et-Labrador—Parc national du Gros-Morne. 3. Parc national du Gros-Morne (T.-N.-L.)—Ouvrages illustrés. 4. Sciences naturelles—Terre-Neuve-et-Labrador—Parc national du Gros-Morne—Ouvrages illustrés. I. Gros Morne Co-operating Association. II. Titre. III. Titre: Gros Morne : hautes terres et basses terres.
FC2164.G76W54 2004 917.18 C2004-903250-XF
Imprimé au Canada

gros morne's
scenery is
unrivalled
in eastern
canada,
and offers
1,805 square
kilometres
that beckon
to be explored

le territoire
de 1805 km^2
que couvre le
parc national
du gros morne
recèle de
paysages
sans pareil
dans l'est
du canada

preface prologue

I have to stop occasionally as I trek around the cirque to look back down the valley in an effort to convince myself that I am making headway. There are few reference points on the barren landscape of the Tablelands, and it is difficult to estimate the distance travelled since I left the marked trail several hours ago.

Once atop the plateau I am in my sanctuary, of sorts. The breezes are strong enough to keep the annoying mosquitoes and black flies at bay, and I can be assured of not seeing another person up this far. Overlooking Bonne Bay to the north, and the Long Range Mountains even further to the north, this is an idyllic place to reflect, enjoy the moment and breathe in the beauty. To use an old Newfoundland phrase: "You can see right into tomorrow" from here.

Sitting on the peridotite —the yellowish coloured rock thrust up from the earth's mantle some 450 million years earlier— I reach down for a handful of snow with which to cool my face. Although it is late July this snow will linger for at least a few more weeks before succumbing to the heat of the summer sun. It is refreshing.

What is it, I ponder, that makes Gros Morne such a remarkable place?

Je dois m'arrêter à l'occasion au milieu d'une randonnée autour de ce cirque glaciaire pour regarder la vallée derrière moi et m'assurer que je progresse. Il n'y a que très peu de points de repère dans le paysage dénudé du plateau des Tablelands et par conséquent, il est difficile d'estimer la distance parcourue depuis que j'ai quitté le sentier battu, il y a déjà un bon moment.

Une fois sur le plateau, je suis en quelque sorte dans mon sanctuaire. Les vents sont assez forts pour éloigner les insectes et je suis à peu près certain de ne pas rencontrer âme qui vive à cette hauteur. Surplombant Bonne Baie au nord et les monts Long Range plus au nord, c'est un endroit idyllique pour simplement réfléchir, profiter du moment présent et respirer la beauté des lieux. Comme le veut un vieux dicton du pays: «Vous pouvez voir jusqu'à demain» d'ici.

Assis sur la péridotite, cette pierre jaunâtre projetée du manteau terrestre il y a 450 millions d'années, je saisis un peu de neige pour me rafraîchir le visage. Ça fait du bien. On est pourtant à la fin juillet et cette neige ne disparaîtra que dans quelques semaines, succombant finalement aux chauds rayons du soleil.

Qu'est-ce qui me fait revenir à Gros Morne tous les ans, je me demande?

Is it the fascinating geological history? The diverse flora? Or is it, perhaps, the wildlife that thrives in some of the most God-awful conditions imaginable?

Here, one can find Arctic hare at the southern limit of their range in the world. Likewise for rock ptarmigan, complete with feathers down to the tips of their toes. Or maybe it is the eastern coyote, the wily and adaptable predator that completed its eastward continental journey barely a decade ago, that I find fascinating.

The more time that I spend in the Park, the more intrigued I become with it. The granite of the Long Range Mountains, scrubbed-and-scoured bare by millions of years of erosion and glaciers, is four-times older than the Canadian Rockies. Here in the Tablelands, I am told, is one of the best locations on the planet to see evidence of plate tectonics.

These reasons, I decide, are purely academic and were the thrust for establishing the 1,805 square kilometres as a national park in 1973. It was also for these reasons, among others, that Gros Morne National Park was declared a UNESCO World Heritage Site in 1987 and joined illustrious company such as Australia's Great Barrier Reef and the Egyptian Pyramids.

Est-ce son attrait géologique fascinant? Sa flore unique? Ou est-ce, peut-être, les différentes espèces animales qui subsistent dans les conditions les plus divinement difficiles que l'on puisse imaginer?

Ici, on peut trouver le lièvre arctique dans ses retranchements les plus au sud. Il en va de même du lagopède des rochers que l'on peut apercevoir avec ses plumes jusqu'aux orteils. Ou encore le coyote de l'est, ce rusé animal qui a complété sa migration vers l'est depuis à peine une décennie. Plus j'explore le parc, plus je suis fasciné par ce qu'il a à offrir. Le granite des Long Range, lavé, et mis à nu par des millions d'années d'érosion, est quatre fois plus vieux que les Rocheuses. Ici, dans les Tablelands, je suis probablement au meilleur endroit de la planète pour étudier la théorie de la tectonique des plaques.

Ces raisons, j'en conclus, sont purement académiques et ont probablement été à l'origine de la décision de faire de ce territoire de 1805 km^2 un parc national en 1973. C'est peut-être aussi pour ces mêmes raisons que le parc national du Gros Morne a été déclaré Site du patrimoine mondial par l'UNESCO en 1987 au même titre que la Grande Barrière d'Australie et les pyramides d'Égypte.

preface prologue

The real magic of Gros Morne lies in the unexpected experiences that await throughout the Park. It is the enjoyment of having a willow ptarmigan hen parade her brood of four chicks in front of my camera lens for what seems like hours. It is the humour of seeing what looks like the 'killer bunny' in the film *Monty Python and the Holy Grail.* An exaggeration, of course, yet, Arctic hare are huge when compared to their snowshoe hare cousins.

Or perhaps it was that special moment when a herd of thirteen caribou slowly surrounded me as I photographed them. They were so relaxed that they eventually laid down, and rested for nearly three hours! I put down my camera and did the same; to continue making photographs seemed like an invasion of their trust. The best images of this experience are not recorded on film, but are forever etched in my mind.

This is the lure of Gros Morne: the wildness of the backcountry, the solitude of a setting sun over the Gulf, the thrill of wildlife sharing their space, and the endless cycle of the seasons and life it supports.

The answer, I discovered, lies in the personality that is uniquely Gros Morne National Park.

Dale Wilson, May 2004

La vraie magie de Gros Morne tient à l'inattendu qu'il peut procurer à tout moment. C'est le plaisir de voir une mère lagopède promener ses quatre petits aller-retour devant l'appareil photo. C'est la surprise de voir un lapin de grosseur comparable à celui dans *Monty Python and the Holy Grail.* J'exagère bien sûr, mais il n'en reste pas moins que le lièvre arctique est très gros en comparaison du lièvre d'Amérique.

Peut-être aussi est-ce la journée où une harde de 13 caribous s'avança vers moi pendant que je les photographiais. Calmement, ils finirent par m'entourer et se coucher tout autour pour une halte de trois heures! J'en fis tout autant. Continuer à les photographier aurait été un abus de confiance. Les meilleures photos de cette expérience ne sont pas sur pellicule, mais bien ancrées dans ma tête.

C'est l'attrait de Gros Morne, tantôt la sauvagerie des terres éloignées, tantôt la solitude d'un coucher de soleil sur le Golfe, tantôt encore l'excitation suscitée par la faune sauvage partageant son espace et le cycle sans fin des saisons et de la vie.

La réponse, j'ai découvert, tient à la nature même du parc national du Gros Morne.

Dale Wilson, mai 2004

green point cliff

For geologists, the layered cliffs of Green Point are an invaluable reference for defining the boundary between the Cambrian and Ordovician periods.

Pour les géologues, les falaises stratifiées de Green Point constituent une référence inestimable servant à définir la limite entre les périodes cambrienne et ordovicienne.

gros morne
highlands and lowlands
gros morne
hautes terres et basses terres

At low tide it is possible to walk along the shore from Rocky Harbour to Salmon Point and the entrance of Bonne Bay. This rock platform is pocked with shallow pools teeming with marine life. Huge, rounded glacial boulders lie scattered across the intertidal platform.

À marée basse, on peut marcher sur la rive de Rocky Harbour à Salmon Point et à l'entrée de Bonne Baie. Cette plate-forme rocheuse est marquée de poches d'eau peu profondes grouillantes de vie aquatique. D'immenses blocs erratiques se retrouvent éparpillés dans cette zone intertidale.

salmon point

lomond valley

Despite logging in the 1930's, Lomond River valley and Wigwam Pond are the best places in the Park to see a forest of mixed conifer and deciduous trees. Bonne Bay is effectively the northern limit for white pine, yellow birch, red maple, and many other plants in Newfoundland. Balsam fir, white spruce, and white birch are the dominant tree species in the Park, and they provide ideal food and shelter for the abundant moose.

En dépit de son exploitation forestière dans les années 1930, la vallée de la rivière Lomond et l'étang Wigwam comptent parmi les meilleurs endroits du parc pour découvrir une forêt mixte de conifères et de feuillus. Bonne Baie représente la limite nordique pour le pin blanc, le bouleau jaune, l'érable rouge et plusieurs autres plantes de Terre-Neuve. Le sapin baumier, l'épinette blanche et le bouleau à papier dominent sur le territoire du parc et procurent une nourriture abondante et un habitat idéal aux nombreux orignaux.

bakers brook falls

There are, quite literally, hundreds of waterfalls within the boundaries of the Park, ranging from small snowmelt run-offs to cataracts plunging down 600-metre-high cliff faces. Few, however, rival the majesty and water volume of Bakers Brook Falls.

Le parc possède littéralement des milliers de chutes, du mince filet provenant de la fonte des neiges aux cataractes tombant de falaises hautes de 600 mètres. Cependant, peu d'entre elles rivalisent en termes de volume d'eau et de majesté avec les chutes Bakers Brook.

arctic hare

A survivor of the last Ice Age, the Arctic hare is one of the rarest animals in the Park. Like most hares, the Arctic hare population is cyclic, with Gros Morne populations ranging from an estimated low of 50 to a high of 900 animals.

Significantly larger than the more common snowshoe hare, the Arctic hare prefers the open boulder-type tundra found atop the Long Range Plateau: the low-elevation mountain range that reaches from the Great Northern Peninsula as far south as Burgeo. The Newfoundland population of Arctic hare is the southernmost in the world. This hare was the original symbol for Gros Morne National Park.

Un survivant de la période glaciaire, le lièvre arctique est l'un des animaux les plus rares dans le parc. Comme pour la plupart des lièvres, la population du lièvre arctique est cyclique et celle du Gros Morne varie de 50 à 900 selon les estimations.

Beaucoup plus gros que son cousin plus commun, le lièvre d'Amérique, le lièvre arctique fréquente divers habitats des hautes terres, dans la partie nord des monts Long Range, cette chaîne de montagnes peu élevées qui s'étend de la péninsule Great Northern jusqu'à Burgeo au sud. La population du lièvre arctique à Terre-Neuve est celle que l'on retrouve la plus au sud dans le monde. Le lièvre arctique était l'emblème original du parc national du Gros Morne.

épilobe

dwarf
willowherb

caribou stag

The woodland caribou is the only indigenous hoofed mammal on the Island of Newfoundland. The Island's caribou were threatened with extinction in the early 1900's, but they have made a remarkable recovery, and the Park population alone can reach as high as 1,500 animals. Caribou can be seen throughout the Park, but the coastal bogs between Sally's Cove and St. Pauls are the preferred lowland grazing area.

Le caribou des bois est le seul mammifère indigène à sabot sur l'île de Terre-Neuve. Le caribou, qui était menacé d'extinction sur l'île dans les années 1900, a fait une remontée spectaculaire et la population actuelle du parc seulement peut atteindre 1500 individus. On peut l'apercevoir un peu partout dans le parc, mais son endroit de prédilection où brouter semble être les tourbières entre Sally's Cove et St. Pauls.

poplar trees

There are two species of aspen, or poplar, in the Park: trembling aspen and balsam poplar. Locally, they are called apse. These fast growing deciduous trees thrive in moist soils and in meadows—such as Lomond—where they can take advantage of full sunlight.

Il existe deux variétés de ce type d'arbre dans le parc: le peuplier faux-tremble et le peuplier baumier. Cet arbre à maturation rapide et aux feuilles caduques recherche les sols humides et les prairies comme Lomond où il tire les pleins bénéfices du soleil.

sunset at st. pauls coucher de soleil à st. pauls

deer grass

Early morning
sunlight rakes
across tufts
of deer grass
near Lomond.

Les rayons
matinaux
embrasant
le scirpe en
touffe près
de Lomond.

gros morne mountain

The Park is named after Gros Morne Mountain, here seen from the shores of Rocky Harbour Pond. The Mountain rises to an elevation of 806 metres, and gets its name from the Creole French words meaning "big, lone rounded hill".

L'on aperçoit ici le mont Gros Morne d'une hauteur de 806 mètres à partir des rives du Rocky Harbour Pond. Morne est un mot créole signifiant grosse colline ronde et isolée.

Three species of lady's-slipper orchid grow in Gros Morne. In order of blooming they are the pink, the yellow, and the showy. The showy lady's-slipper, seen here, is the largest of the three and also the most colourful. In late June these beautiful orchids bloom along Bakers Brook Falls Trail and the Lomond River Trail.

L'on retrouve trois variétés d'orchidée cypripède à Gros Morne, les plus communes étant le cypripède royal et le sabot-de-vénus. Le royal, photographié ici, est le plus gros et le plus coloré. Chaque variété éclôt à un temps différent. Vers la fin juin, il est possible de voir ces merveilleuses orchidées le long du sentier de la Chute Bakers Brook et celui de la rivière Lomond.

showy lady's-slipper

newfoundland marten

The Newfoundland marten is one of the rarest animals on the planet. Habitat degradation is primarily responsible for the current population that has dwindled to an estimated 300 animals.

One of only 14 native land mammals on the Island of Newfoundland, this member of the weasel family was declared endangered by COSEWIC (the Committee on the Status of Endangered Wildlife in Canada) in 1996. A small population of marten lives along the east boundary of the Park.

La martre de Terre-Neuve est l'un des animaux les plus rares sur la planète. La dégradation de son habitat naturel serait responsable de la quasi-disparition de cette espèce dont la population est estimée à 300 individus.

L'un des 14 mammifères natifs de l'île de Terre-Neuve, il a été ajouté sur la liste des espèces en péril par le COSEPAC* en 1996. Une petite colonie de martres vit à la frontière est du parc.

*Comité sur la situation des espèces en péril au Canada

southeast brook falls

In the spring, during the heavy snowmelt period, the vapour spewed into the air from Southeast Brook Falls is visible from far away. A short and easy walking trail leads to the top of the falls, and a fenced look off.

Au printemps, pendant la période de fonte des neiges, il est possible de voir la vapeur émanant des chutes à des kilomètres à la ronde. Une courte et agréable randonnée de 500 mètres en sentier mène à une aire d'observation grillagée.

moose

The Newfoundland population of moose is an incredible story of propagation—especially so considering that moose are not native to the province. A first attempt to introduce this ungulate to the province in 1878 was probably unsuccessful.

A second translocation released two cows and two bulls from New Brunswick at Howley, near Deer Lake, in 1904. This attempt has resulted in a current Island-wide population estimated at 120,000 animals, with the Gros Morne population around 7,500 animals.

L'histoire de la population de l'orignal à Terre-Neuve en est une de propagation incroyable, surtout si l'on considère que l'animal n'est pas natif de la province. Un premier essai en 1878 pour introduire cet ongulé dans la province semble avoir été un échec.

Un deuxième essai plus fructueux eut lieu en 1904 lorsque deux femelles et deux mâles en provenance du Nouveau-Brunswick furent libérés à Howley, près de Deer Lake. Terre-Neuve compte maintenant environ 120 000 orignaux dont 7500 à Gros Morne.

green point

By early April, sea ice that has jammed-up along the Gulf shore during the winter will start to break-up and melt in the spring sun. While most of this ice formed in these waters, some may have originated much farther north—along the coast of Labrador.

Début avril, les glaces entassées le long des rives du Golfe pendant l'hiver commencent à se briser et à fondre sous le soleil du printemps. Ces glaces ont été en grande partie formées dans ces eaux, mais certaines peuvent provenir des côtes plus nordiques du Labrador.

mountain ash

Mountain ash, or dogberry, turns various hues of red and yellow during autumn frosts, and is found throughout the Park. The red berries of this small tree are an important food source for birds and bears late into the autumn.

Pendant les gelées automnales, le sorbier prend des teintes variant du rouge au jaune. On le retrouve partout dans le parc et les petites baies rouges qu'il produit sont une source importante de nourriture pour les oiseaux et les ours jusqu'à tard à l'automne.

trout river pond fjord le fjord trout river pond

fireweed

Fireweed is an abundant wildflower that comes by its name honestly. Although a fire is not necessary for this plant to thrive, it is usually one of the first species to sprout in the days after a burn. In contrast to its dwarf willowherb cousins (see page eighteen) that are a mere 15-20 cm in height, this species can grow more than a metre tall.

Cette fleur sauvage abondante arbore un nom en anglais qui se traduirait littéralement par mauvaise herbe de feu qui la décrit bien puisque qu'elle est la première à repousser après un feu. Par contraste avec ses cousines miniatures (voir page dix-huit) qui ne dépassent pas les 20 cm, l'épilobe en épi peut atteindre plus d'un mètre de hauteur.

western brook pond

The most visited of the two landlocked fjords in the Park, Western Brook Pond is a 16-kilometre-long trench carved during the last Ice Age. Spectacular cliffs rise 670 metres above sea level, and at its middle the Pond is 165 metres deep. Some pond! The water of Western Brook Pond is so pure and lacking in nutrients that it is nearly barren of plant life, insects, and fish.

Le plus visité des deux fjords intérieurs du parc, le Western Brook Pond qui s'étend sur 16 km de longueur, est un vestige de l'ère glaciaire. Bordé de falaises spectaculaires atteignant jusqu'à 670 mètres au-dessus du niveau de la mer, il a une profondeur de 165 mètres à son point le plus bas. L'eau du Western Brook Pond est si pure et sans nutriments que l'on n'y retrouve pratiquement aucune végétation et faune aquatiques.

eastern larch

Shades of autumn have already announced their presence in the fen between Wallace Brook and Highway 431. This lone larch will eventually succumb to the frosts of autumn and drop its golden needles.

Les teintes de l'automne transparaissent dans la prairie qui borde le ruisseau Wallace et l'autoroute 431. Ce mélèze solitaire finira par succomber à son tour au froid et perdre ses aiguilles dorées.

storm
clouds
at
green
point

des
nuages
orageux
à
green
point

killdevil

One local story has it that this steep hill got its name from a clergyman who proclaimed that it would kill any poor devil who attempted to climb it. "Killdevil" was also a name for cheap rum. Regardless of the source of its name, the backdrop of Killdevil Mountain reflecting in Bonne Bay in evening light is one of the prime attractions of Lomond Campground.

Selon la légende, cette colline abrupte tient son nom d'un écclésiaste qui aurait proclamé que cette montagne tuerait tout démon qui tenterait de la gravir. «Killdevil» était aussi le nom d'un rhum bon marché. Nonobstant, le mont Killdevil se mirant dans Bonne Baie au crépuscule demeure une attraction de choix au terrain de camping de Lomond.

harebell

The harebell is an adaptable plant that can thrive in difficult soils. Harebells are abundant on limestone and serpentine soils in the Park, and are most common in the Tablelands, where several shades of blue and a white form often grow together.

La campanule est l'une de ces plantes ayant un pouvoir d'adaptation formidable. Très répandue dans le parc sur les sols calcaires et de serpentine, la campanule pousse particulièrement sur le plateau Tablelands où on la retrouve en des teintes de bleu et de blanc.

tablelands

Snow lingers on the north-facing slopes of the Tablelands well into the summer months. Exposed trailing-juniper stems twist among the peridotite boulders wherever there is shelter from the constant winds.

La neige demeure sur le versant nord du plateau Tablelands pendant les mois de l'été. Les tiges de genévrier serpentent parmi les rochers de péridotite en quête d'un refuge contre les vents.

ptarmigan

Both willow and rock ptarmigan live in Gros Morne, and the Island of Newfoundland is the southern limit of the latter's range. Both species turn white during the winter months and do not migrate. The best way to see these birds is to hike above the tree line on the Gros Morne Mountain Trail.

Le lagopède des saules tout comme le lagopède alpin sont présents à Gros Morne, Terre-Neuve constituant la limite méridionale du territoire de cette dernière espèce. Fidèles à leur héritage arctique, leur plumage tourne au blanc pour l'hiver et ni l'un ni l'autre ne migre. C'est lors d'une randonnée au-delà des limites forestières sur la piste du mont Gros Morne qu'on a le plus de chance d'en apercevoir.

breakers at green point brisants à green point

blueberry plants and frost

Wild blueberries are abundant throughout the Park and provide a great excuse to simply relax and enjoy this natural sweetener *à la vigne.* Depending upon elevation and species, blueberries ripen between mid-August and mid-September. The first frosts of early autumn turn the plants a blazing red, providing an incredible colour palette to augment the yellows of birch and poplar trees.

Les bleuets sauvages abondent dans le parc et procurent un prétexte idéal pour s'arrêter et savourer cette sucrerie naturelle dans son habitat. Selon l'altitude, le bleuet est mûr entre la mi-août et la mi-septembre. Les premiers gels de l'automne font rougir les plantes qui offrent un contraste remarquable avec les jaunes des bouleaux et des peupliers.

east branch river

Hoarfrost settles on an alder along the bank of the East Branch River, at the Park's southern boundary along Highway 430. By the end of January most of the watercourses in the Park have frozen over, and it will be another three months before the spring thaw starts.

La gelée blanche se forme sur un aulne de la rive de la rivière East Branch à l'extrémité sud du parc près de l'autoroute 430. Vers la fin de janvier, la majorité des cours d'eau dans le parc seront gelés et il faudra attendre trois mois avant le dégel printanier.

shallow bay dunes

The Island of Newfoundland is often affectionately called "the Rock." Nonetheless, the Island has some fine beaches for swimming, and Shallow Bay is one of the best. Marram grass holds the fragile dunes in place, and should not be disturbed by walking traffic.

L'Île de Terre-Neuve est parfois surnommée affectueusement «the Rock», mais elle possède plusieurs plages idéales pour la baignade et Shallow Bay compte parmi les meilleures. L'ammophile tient en place les dunes fragiles que les piétons sont invités à ne pas déranger.

eastern coyote

The eastward expansion of the coyote has been occurring for the last century, and on March 29, 1985, three adults were reported coming ashore on the Port au Port Peninsula, thus completing the species' journey. It is widely believed they crossed the ice-bound Gulf of St. Lawrence from Cape Breton Island. The eastern coyote is much larger than its western cousin, with adult males often exceeding 20kg in weight, a result of crossbreeding with grey wolves in northern Ontario and Québec.

La migration vers l'est du coyote s'est effectuée au cours du dernier siècle et le 29 mars 1985, trois individus adultes étaient rapportés sur les rives de la péninsule de Port-au-Port, dernière étape de ce long périple. La croyance la plus répandue veut qu'ils aient traversé le Golfe du St-Laurent glacé à partir de l'Île du Cap Breton. Le coyote de l'est est beaucoup plus gros que son cousin de l'ouest. Il n'est pas rare en effet de voir des mâles adultes dépasser les 20 kilos, ce qui serait dû à des accouplements mixtes avec le loup gris du nord de l'Ontario et du Québec.

gros morne
hautes terres et basses terres

gros morne
highlands and lowlands

hoar frost

In early winter, on crisp, clear, moonlit nights, it is possible to see frost particles hanging in the air. In the mornings, various animals busy themselves preparing for the snow that is in the not-too-distant future.

L'hiver naissant apporte des soirées claires et fraîches pendant lesquelles on peut observer des particules glacées flottant dans l'air. Il y a aussi ces matins magnifiques où l'on peut observer les différents animaux se préparer activement aux premières neiges qui s'en viennent.

bakeapple
blueberries
partridgeberry

plaquebière
bleuets
pain de perdrix

gros morne
hautes terres et basses terres

gros morne
highlands and lowlands

st. pauls inlet

It is about an 11-kilometre boat trip from the village of St. Pauls to the back of St. Pauls Inlet, and the stunning scenery of the Long Range Mountains. About one-kilometre farther inland is a beautiful cataract fed by the waters of the St. Pauls River.

Environ 11 kilomètres séparent le village de St. Pauls de l'extrémité du bras de mer St. Pauls dans le paysage merveilleux des monts Long Range. Un kilomètre plus loin, on découvre une magnifique chute alimentée par la rivière St. Pauls.

southeast hills

Fresh snowfall coats white birch, balsam fir, and white spruce of the Southeast Hills. Snow usually dusts the Park highlands in October, and by early December winter has set in. By mid-June most of the snow has melted, but large patches often linger into August on north-facing slopes at higher elevations. Occasionally, snow lasts right through the summer and into the next winter.

Neige fraîchement tombée sur les bouleaux blancs, les sapins baumiers et les épinettes blanches des collines Southeast. La première neige apparaît habituellement dans le parc vers la fin octobre et au début de décembre, l'hiver est bien installé. À la mi-juin, la neige est fondue, mais elle subsistera jusqu'en août sur le versant nord de certaines zones élevées.

shallow bay sunset coucher de soleil à shallow bay

winter house brook

Winter House Brook cuts a deep channel from the 700-metre-high plateau of the Tablelands to the South Arm of Bonne Bay. The rocks of the Tablelands originated more than 10-kilometres down and hundreds of kilometres away. The bump-and-grind of plate tectonics thrust them onto the earth's surface about 450 million years ago.

Le ruisseau Winter House creuse un canal profond sur le haut plateau accidenté des Tablelands d'environ 700 mètres de hauteur avant de se jeter dans le Bras Sud de Bonne Baie. Les rochers du plateau des Tablelands étaient jadis ensevelis à plus de 10 kilomètres sous la surface terrestre et à des centaines de kilomètres de distance avant que le bouleversement des plaques tectoniques ne les fassent jaillir en surface il y a de cela quelque 450 millions d'années.

pitcher plant

Many inquisitive children have wondered how the carnivorous pitcher plant catches its prey. The answer is in the water that collects in the bottom of each pitcher-shaped leaf. Unsuspecting insects are attracted to the plant by its colour, and find their way into a pitcher. Once inside, insects are unable to crawl out because of the slippery walls and downward pointing hairs. The insects eventually drown and decay, providing nutrients necessary for the plant's survival.

Plusieurs enfants curieux se demandent comment cette plante insectivore capture ses proies. La réponse se trouve dans l'eau qui s'accumule au fond de chaque feuille enroulée en forme de pichet. Un insecte un peu naïf sera attiré par ses couleurs pour se retrouver ensuite dans un pichet. Une fois là, il est incapable d'en sortir en raison des parois glissantes et des poils orientés vers le bas. L'insecte finit par se noyer, se décomposer et fournir les nutriments nécessaires à la plante.

southeast hills look off

Far to the west a forest fire was raging in the province of Québec. Prevailing westerly winds drifted the smoke towards Newfoundland's Great Northern Peninsula. From the look off atop the Southeast Hills, the Lomond Valley resembled the Great Smoky Mountains in the USA.

Loin à l'ouest, un feu de forêt faisait rage au Québec et les vents de l'ouest transportaient la fumée jusqu'à la péninsule Great Northern de Terre-Neuve. De l'aire d'observation au haut des collines Southeast, la vallée de Lomond rappelait les montagnes Great Smoky aux États-Unis.

shallow bay

After most beach-goers have left because of the cool evening sun, the light show is just beginning. The strong angle of the sun cascades warm highlights across the ridges in this sand detail, while the sky reflects its blue in angular puddles. As the sun drops, the patterns in the sand slowly shift.

À peine les derniers baigneurs repartis en raison de la soirée fraîche, le spectacle de lumière s'apprête à commencer. L'angle particulier du soleil projette des contrastes chaleureux dans chaque recoin de ce carré de sable pendant que le bleu du ciel est réfléchi dans les flaques d'eau. À mesure que l'astre descend, les motifs lumineux changent en harmonie.

st. lawrence storm

Combers crashing on the rocks at Broom Point after a storm front has passed by.

Des vagues se heurtant aux rochers à Broom Point suite à une tempête.

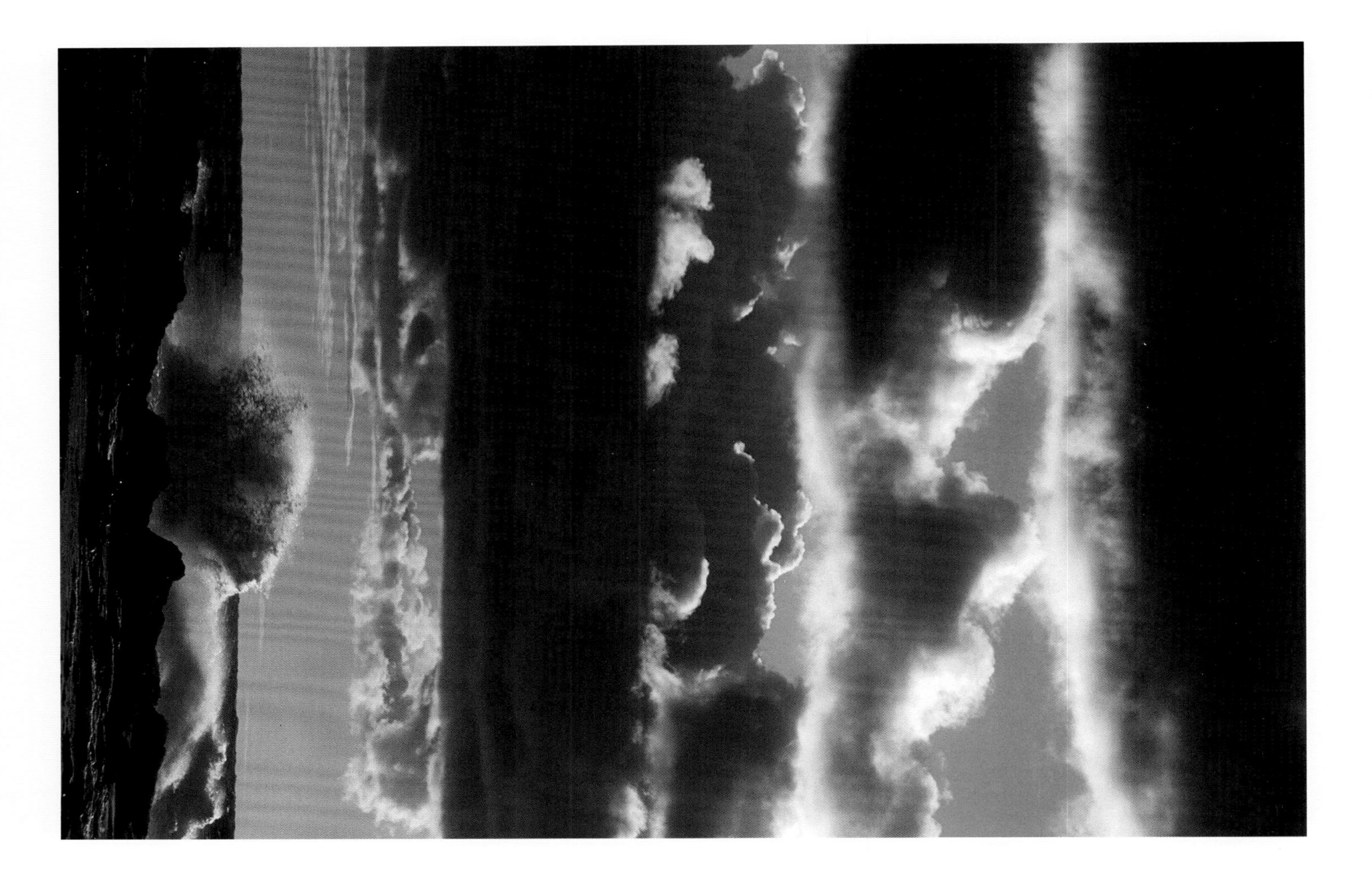

gros morne
highlands and lowlands

gros morne
hautes terres et basses terres

lueur sur les tablelands

the tablelands and alpenglow

tuckamore

Stunted balsam fir and white spruce trees that grow along the wind-swept coast are known locally as tuckamore. An individual tree may be a hundred or more years old, but less than a metre tall. Michael Burzynski, in his *Gros Morne Guidebook*, describes tuckamore as "a forest for gnomes or elves—a scene right out of J.R.R. Tolkien's Middle Earth."

Les sapins baumiers rabougris et les épinettes blanches chétives qui s'étendent sur la côte balayée par les vents sont appelés tuckamore. Ces arbres, dont certains sont centenaires, ne dépassent pas un mètre. Dans son *guide de Gros Morne,* Michael Burzynski décrit cette végétation comme une forêt pour les gnomes et les elfs, une scène tout droit sortie de la Terre du Milieu de J.R.R. Tolkien.

acknowledgements remerciements

I don't recall the first time that we met, but I do know I have never had the good fortune to meet anyone else as passionate about his or her life's work. Anne Marceau and Michael Burzynski have been working in Gros Morne National Park since 1989 as interpreters and naturalists, and are perfectly attuned to its many nuances. I am indebted to their knowledge and unselfish willingness to share their enthusiasm. Without their able assistance and many hours of most enjoyable conversation this book would never have been.

Books really are about decisions, and there are never enough pages. Thankfully, several decisions were made with incredible ease. Jan Sykora, the very capable designer with Trivium Design, is carving a niche as one of the most creative book designers in eastern Canada. Many thanks, Jan, for being able to bring a vision to the printed page. Tom Klassen, the printer's customer service representative, brought many suggestions to the table, and proved once again why Friesens is simply the best book printer in Canada. It goes without saying a book cannot exist without a publisher. A special thanks to the Gros Morne Co-operating Association and Colleen Kennedy for making this project happen. Colleen, your confidence in giving the production team free rein was refreshing, and we are grateful for your belief in this project.

Je ne me souviens plus de la première rencontre, mais je sais que je n'ai jamais eu le bonheur de faire la connaissance de personnes aussi passionnées par leur travail. Anne Marceau et Michael Burzynski travaillent au parc national du Gros Morne depuis 1989 en tant qu'interprètes et naturalistes et en connaissent parfaitement les nombreuses nuances. Je leur dois beaucoup pour leur acceptation à partager sans réserve leurs connaissances et leur enthousiasme. Sans leur précieux concours et plusieurs longues conversations, ce livre n'aurait pas vu le jour.

Les livres sont faits de décisions et il n'y a jamais assez de pages. Heureusement, plusieurs décisions ont été faciles comme celle de confier la conception à Jan Sykora, un designer de premier plan chez Trivium Design qui s'affirme comme l'un des concepteurs de livres les plus créatifs dans ce coin de pays. Mille mercis Jan, pour avoir su insuffler une vision à la page imprimée. Tom Klassen, représentant de l'imprimeur, y est aussi allé de plusieurs suggestions et a contribué à confirmer la position dominante de Friesens comme le meilleur imprimeur de livres au Canada. Il va sans dire que ce livre n'existerait pas sans un éditeur. Un merci tout spécial donc à la Gros Morne Co-operating Association et à Colleen Kennedy pour avoir permis la concrétisation de ce projet. Colleen, la confiance manifestée à l'égard de l'équipe de production en lui donnant carte blanche n'est pas passée inaperçue et nous vous sommes reconnaissants d'avoir cru à ce projet.

One of the initial goals for this book was to ensure that it would be available in both official languages. This task was entrusted to my good friend Jacques Thibault, who I have had the good fortune of knowing, and working with, for more than a decade. Jacques is also an incredible editor, and I know that he is thankful that there are writers such as me to keep him in business! Thanks, Jacques, it is always fun working with you.

Most of all, I am indebted to my life partner, Julie, who stays at home and very capably nurtures our two sons while I travel the globe working. I really do have the best job in the world, but I couldn't do any of this without the strong supporting cast that I enjoy.

Dès le départ, nous avions prévu assurer la disponibilité de cet ouvrage dans les deux langues officielles du pays. La tâche fut confiée à mon bon ami Jacques Thibault avec qui j'ai le plaisir de travailler depuis plus d'une décennie. Jacques est aussi un réviseur de confiance et je sais qu'il est heureux de retrouver des écrivains comme moi pour le garder en affaires. Merci Jacques.

Enfin, je suis reconnaissant avant tout à ma partenaire de vie, Julie, qui demeure au foyer à donner sans compter à nos deux fils pendant que je parcoure la planète en quête d'images. J'ai vraiment le plus beau métier du monde, mais je ne pourrais le faire sans le soutien d'une équipe formidable.